Communication Skills for Healthy Relationships

THIRD EDITION

건강한 인간관계를 위한

의사소통 기술

한국간호연구학회 편

워크북

Pacific Books

학 과		이 름		사진
반		학 번		
제출일	년 월 일			
나의 별칭				

자기소개

CONTENTS

CONTENTS

CONTENTS

Communication Skills for Healthy Relationships

01 활동

강의안내

1-1. 팀빌딩 : 조 구성 및 규칙 정하기

1-1 팀빌딩 : 조 구성 및 규칙 정하기

팀빌딩과 활동

1. ________ 조

2. 개인 별칭 만들기(자신이 불려지고 싶은 이름)

3. 조당 인원

- 한 조당 (   )명
- 리더 1명

❋ 방법

- 제비 뽑기나 휴대폰 뽑기로 (   )명씩 선정
- 조장 뽑기
- 조명 짓기와 조명패 만들기
- 조 규칙 만들기
- 동료 평가 항목 구체적으로 만들기(5개)
- 팀별로 나와서 소개하기

(조 이름과 짓게 된 동기, 개인 별칭과 의미, 조 규칙 등 간단하게)

조별 규칙 정하기							
조(조 이름)							
※ 각 조별로 조원의 이름과 학번을 쓰시오(조장명에 밑줄 긋기).							
성명		학번		성명		학번	
성명		학번		성명		학번	
성명		학번		성명		학번	
※ 아래에 동료 평가용 조별 규칙을 정한다.							

1.

2.

3.

4.

5.

Communication Skills for Healthy Relationships

02 활동

자기이해

활동 시간 운영 사례

• 뇌(좌뇌, 우뇌) 그리기 단계

목적	자신이 많이 생각하거나 원하는 것, 자신을 지배하고 있는 것들을 파악	시간
준비물	A4용지, 필기도구, 색연필, 크레파스 등	40분
진행 과정	1. 눈을 감고 호흡을 하며 자신에 대해 느끼고 생각한다. - 지금 내 머리 속에는 어떤 것들이 들어있는가? - 내가 가장 많이 생각하는 것은? 내가 관심 있는 것은? - 나의 소원은? 하고 싶은 일, 장래 희망 등 - 나를 대표할 수 있는 형용사는, 색깔은? - 내가 기쁠 때는, 슬플 때는 어떨 때인가? - 내가 싫어하는 것은? 내가 화가 날 때는 어떨 때인가?	5분
	2. 좌뇌에는 생각과 할 일을, 우뇌에는 하고 싶은 일과 감정들과 관련된 것을 그려 넣는다. 색깔, 크기, 위치들에 대해서 자신의 마음이 가는 대로 한다.	10분
	3. 기록한 내용을 조원들과 한 방향으로 돌아가면서 나눈다. 느낌, 이유 등을 발표한다.	15분
	4. 한사람씩 자신의 뇌구조를 그린 경험과 내용, 소감을 발표하며, 다른 사람들은 공감반응과 피드백한다.	10분

2-1 좌뇌 · 우뇌 그리기

1. 자신의 뇌구조 그리기(실례)

✐ 내가 생각하는 것, 관심 있는 것, 좋아하는 것, 싫어하는 것은 무엇인가요?

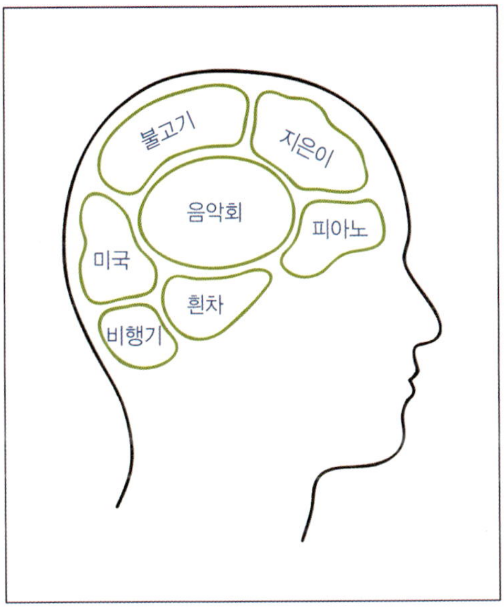

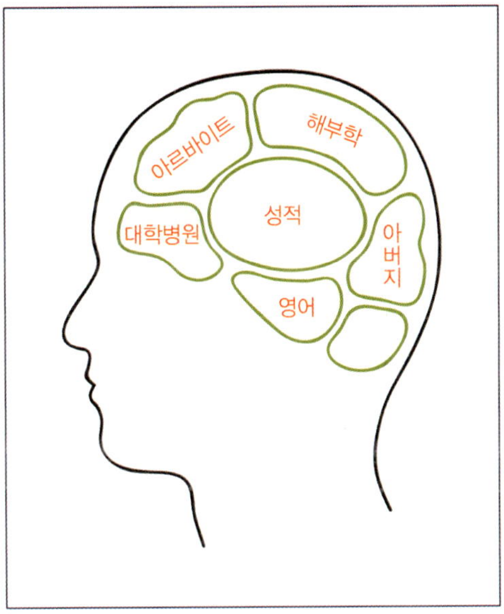

2. 자신의 뇌 구조 그리기(요약)

※ 교재 p.23를 참조하여 그린 뒤 작성하시오. 교재 p.23

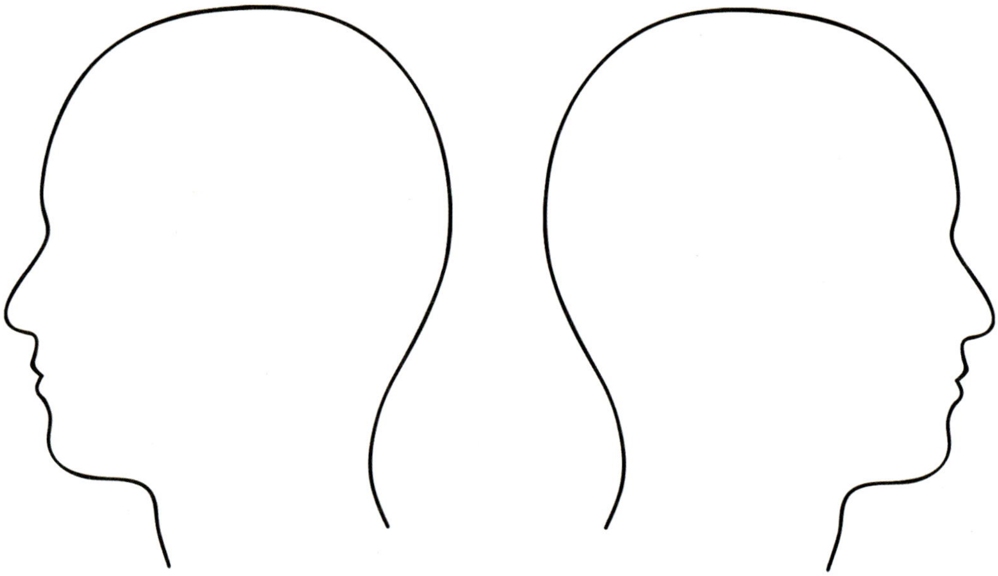

_______________의 좌뇌　　　　　　_______________의 우뇌

▶ **요약**

나는 ____한 사람이다.

나는 나의 뇌구조를 그리고 보니 ___________________________ 마음이 든다.

나는 ___________________________________한 생각이 든다.

나의 안정된 성장을 위해 _____________________________________하면 좋겠다.

2-2 자아존중감

자존감 검사

• 4가지 하위영역 문항 분석과 채점 교재 pp.24-25

하위영역	문항 번호	합계	본인 점수(%)	총점
자기 비하	1, 3, 11, 15, 16	20	(%)	/100
타인과의 관계	6, 7, 9, 10, 20, 21, 22	28	(%)	
지도력과 인기	2, 5, 8, 14, 18, 25	24	(%)	
자기주장과 불안	4, 12, 13, 17, 19, 23, 24	28	(%)	

※ (1)번을 1점, (2)번을 2점, (3)번을 3점, (4)번을 4점으로 합산함. 점수가 높을수록 자아존중감이 높다. 〈본인 점수의 ( )안에는 그 항목에서의 점수를 백분율(%)로 산정하여 비교합니다.〉

• 나의 항목별 점수를 근거로 나에 대한 성찰을 합니다.

1. 나의 특성은?

2. 내가 개발하여야 하는 점은?

Communication Skills for Healthy Relationships

03
활동

성격이해

3-1. MBTI(나의 성격유형)
3-2. 에니어그램(나의 인성유형)

3-1 MBTI(나의 성격유형)

1. MBTI에 대한 자신의 검사 결과지를 보고 기록하기

1) 나의 성격유형은? (자신이 해당하는 곳에 색칠하시오.)

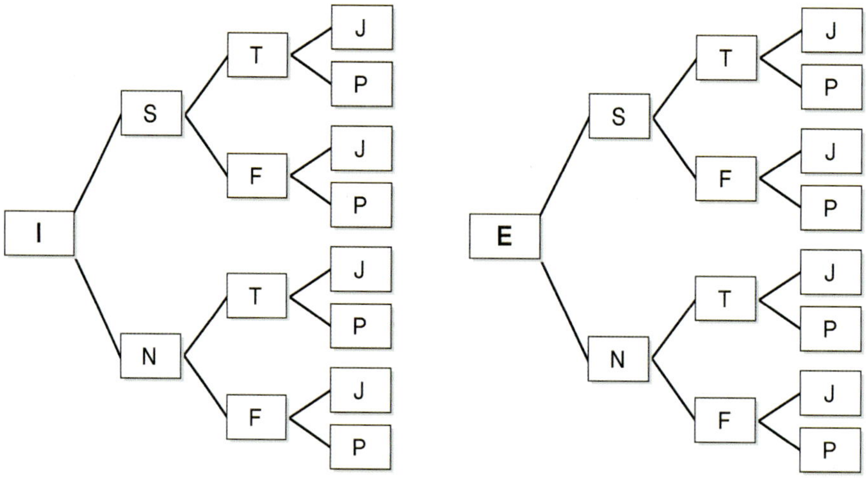

2) 나의 성격유형의 특성은?

예시) ISTJ일 때

주기능 : S(감각) 부기능 : T(사고) 3차기능 : F(감정) 열등기능 : N(직관)

- 주기능 :
- 부기능 :
- 3차기능 :
- 열등기능 :

3. 자신의 유형에 도움이 되는 방법을 적고 공유하기

1) 자신의 유형의 특성을 적는다.

2) 자신의 성격유형에서 장점과 개발할 점을 적는다.

(1) 개발된 성향(주기능)

(2) 잠재력(확립할 기능)

① 부기능

② 열등기능

③ 3차기능

3-2 에니어그램(나의 인성유형)

1. 하단에 소개한 간편도구(Riso-Hudson Quest)**를 이용하여 에니어그램 성격유형 검사를 실시한다.**

* https://enneagram-app.appspot.com/quest

2. 에니어그램에 대한 자신의 검사결과를 보고 기록하기

1) 나의 성격유형 확인(다음 해당하는 곳에 큰 원으로 표시하시오.)

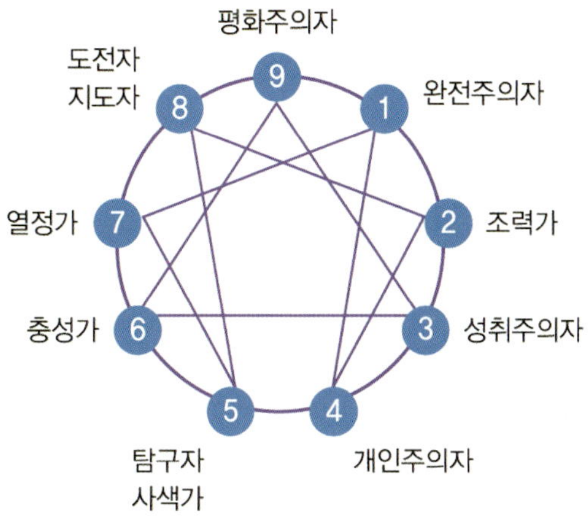

2) 나의 성격유형에 색칠하고 날개유형을 확인하시오.

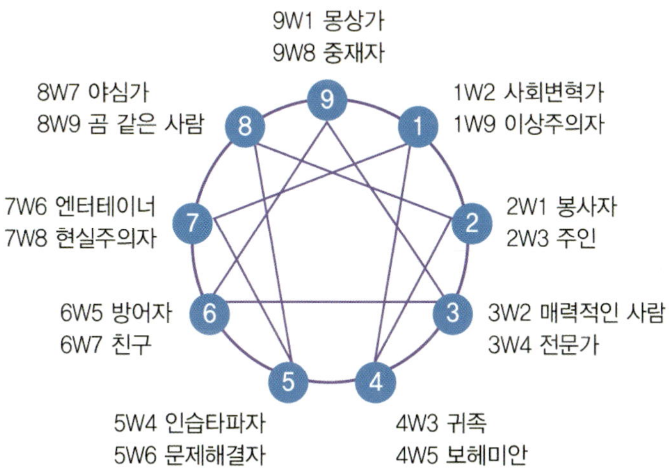

3. 자신의 유형에 도움이 되는 방법을 적고 공유하기

1) 자신의 유형을 적는다.

2) 자신의 유형의 양쪽 날개를 적고, 자신과 더 가까운 쪽의 날개를 선택하여 ○ 안에 적는다.

※예시 : 1유형일 때, 9날개와 가까운 경우, (1W2 (1W9))

3) 종합적으로 자신의 성격 유형에서 장점을 적고 유의할 점을 적는다.

(1) 개발된 점

(2) 성장 방향(3→6→9→3, 1→7→5→8→2→4) : 어려움을 겪을 때 자신의 유형에서 변화되는 방향을 ☐ 안에 적는다.

※예시 : [6→9] (6유형이 어려움을 겪을 때 9형으로 변화됨)

04 활동

타인과의 관계

4-1 조하리 창

조하리 창(Johari window) 그리기

✐ 교재 66쪽의 가로점수와 세로점수를 좌표에 적용한다.

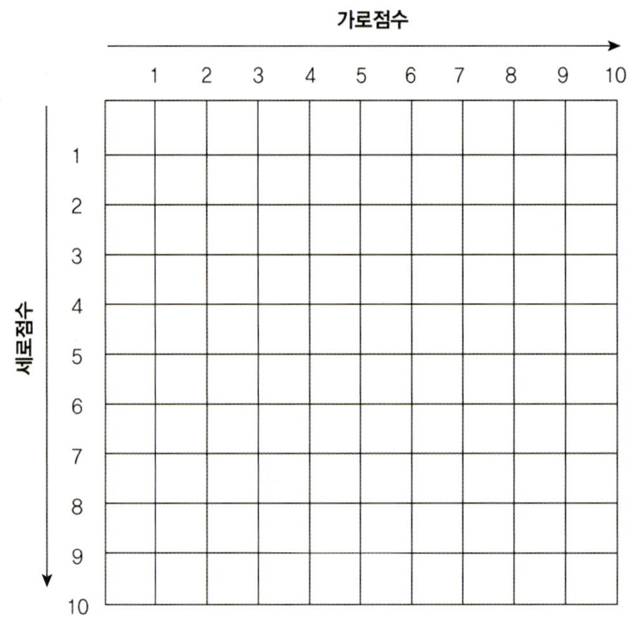

※ 해당하는 가로점수에 세로로 선을 긋고 세로점수에는 가로로 선을 긋는다. 두선이 만나는 면적의 가장 넓은 지점에 색칠한다. 이 면적이 자신의 대인관계 특성에 해당된다. 교재 p.66

나의 유형은?	
내가 개선할 점은?	

참고자료

Johari window - 인간관계유형

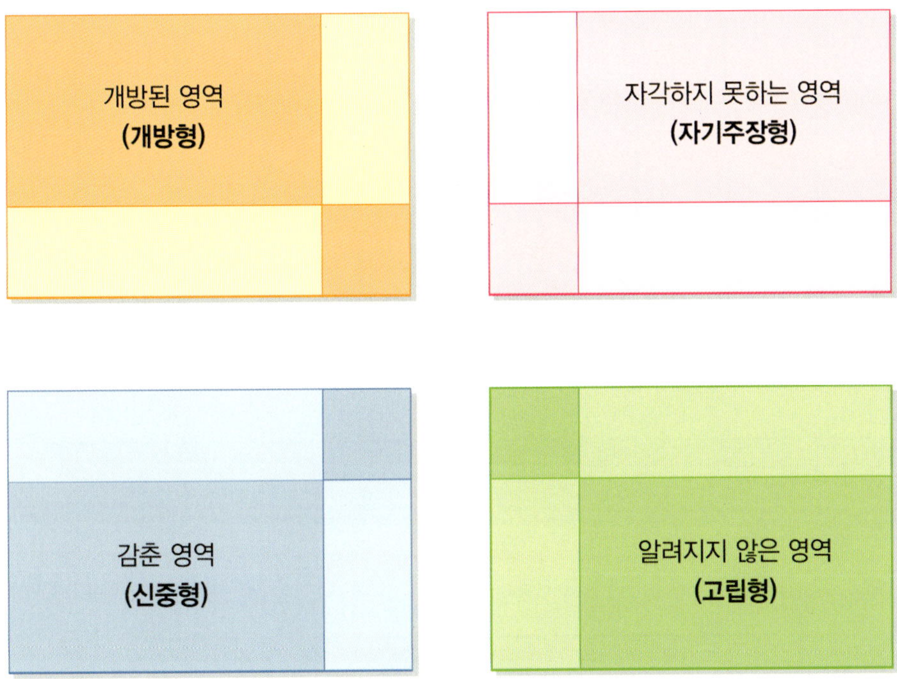

※ 넓은 면적이 자신의 유형이다.

4-2 교류분석

교류분석 작성하기

자신의 일상생활에서의 대화 내용을 생각해 보고, 다음 그림에 제시된 대로 상보교류, 교차교류 및 이면교류로 구분하여 작성하고 조별로 토론합니다.

4-2-1 상보교류

4-2-2 교차교류

4-2-3 이면교류

- P(parent) : 부모자아 상태
- A(adult) : 성인자아 상태
- C(child) : 아동자아 상태
- S(stimulus) : 자극
- R(response) : 반응

4-2-1 상보교류(Complementary transaction)

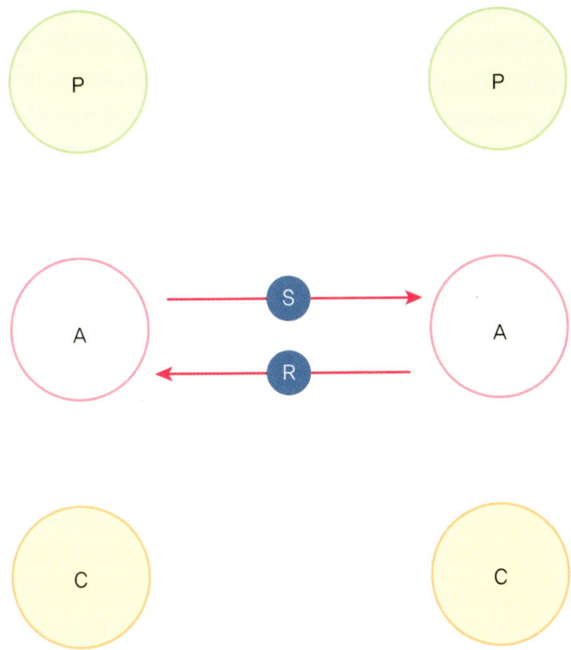

S :

R :

4-2-2 교차교류(Crossed transaction)

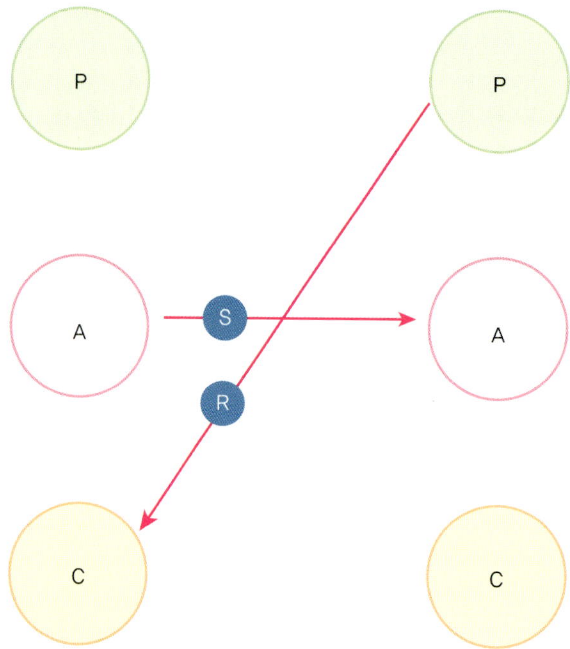

S :

R :

4-2-3 이면교류(Ulterior transaction)

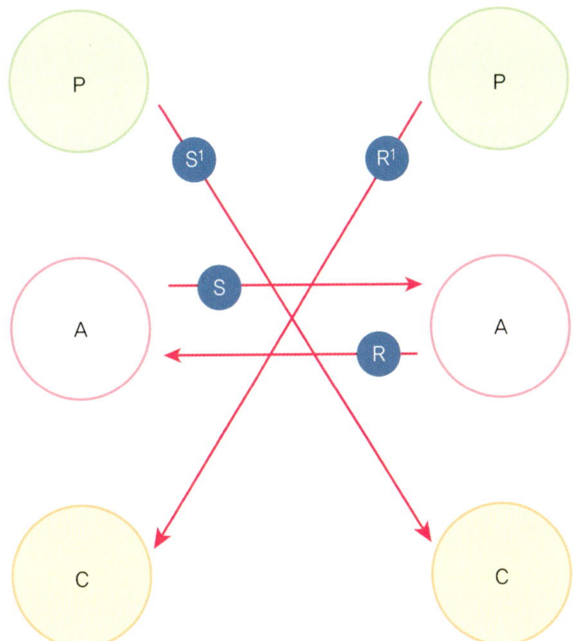

※ 외형적으로는 상보교류모형이나, 심리상태는 거부나 반항으로 대화 내용은 교차된다.

S :
R :

S_1 :
R_1 :

Communication Skills for Healthy Relationships

05 활동

자기성장과 통합

5-1 오케이 그래프(나의 생활자세)

생활자세 : 오케이 그램(OK gram)작성

• 목적

자신을 객관적으로 이해하고 인간관계 개선 및 자기발전에 참고한다.

• 진행

1. 40문항의 빈칸에 자신이 해당되는 점수(1~5점)를 기입한다. 교재 pp.84-85

2. 40개의 각 문항을 순서대로 내려오면서 ①②③④ 각 항별로 점수 합계를 낸다.

3. ①②③④항 별로 다음 페이지 눈금 도표에 번호대로 점수에 점을 찍고, 점끼리 선을 그어 영역을 색칠한다.

4. 작성된 마름모꼴 또는 사각형을 구성한 최고점과 최저점을 나타낸 인생 태도를 분석한다.

5. 조별로 내용과 느낌을 공유한다.

생활자세 : 오케이 그램(OK gram)작성 예시

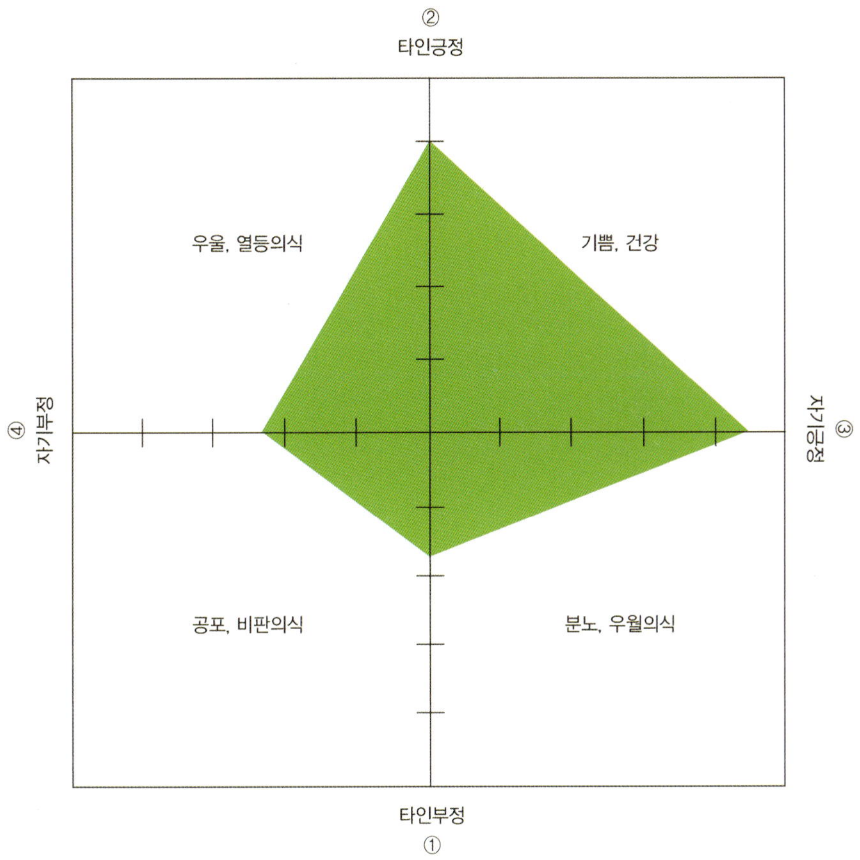

❋ 나의 생활자세 해설(예시 설명)

나의 생활자세는 자기긍정 45점, 자기부정 22점, 타인긍정 40점, 타인부정 17점으로 나타났다. 도표를 그리며 확인해 보니, 나는 자기긍정과 타인긍정이 높으며, 상대적으로 타인부정과 자기부정이 낮다.

정서상태는 기쁨과 건강이 가장 많은 비율을 차지하고 있으며, 약간의 우울, 열등의식 및 분노와 우월의식이 있다고 본다. 공포나 비판의식도 약간 있지만, 비교적 안정적인 삶의 자세를 가지고 있다고 보인다.

나는 인생에서 어떤 어려움이 닥치거나 불편한 상황을 만나도 좋은 경험이야! 지금 내가 겪는 어려움과 불편함은 내가 성장하는데 도움이 될 것이라고 생각한다. 그래서 스트레스를 받지 않고 도전하는 기회로 여기니까 어려움이 발생해도 편안하게 적응하며 대처한다.

나의 생활자세는 좌표상, 상우측에 위치하여 내가 대체로 편안하며 평화로운 마음으로 살아가는 비결인 것 같다.

생활자세 : 오케이 그램(OK gram)작성하기

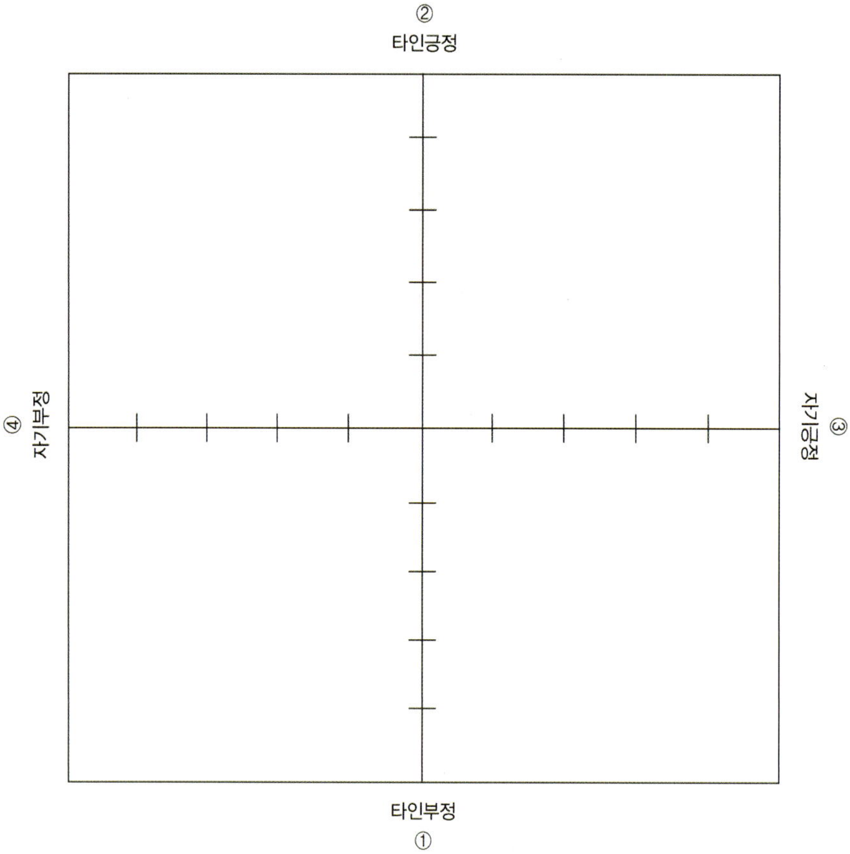

✽ 나의 생활자세 해설

5-2 비합리적 신념

비합리적인 신념 수용하기

비합리적인 신념을 찾고 이를 논박(반박)한다.

사례1	비합리적인 신념	
	비합리적인 신념을 반증하기	
사례2	비합리적인 신념	
	비합리적인 신념을 반증하기	
느낌		

Communication Skills for Healthy Relationships

06

활동

의사소통의 이해

6-1. 사티어의 의사소통(나의 의사소통 유형)

6-1 사티어의 의사소통 (나의 의사소통 유형)

✐ A~E에 체크한 것 중 가장 점수가 높은 것이 자신의 유형이다. 교재 pp.106-108

의사소통 사례	
상황	
위의 사례 내용을 점검하여 나의 특성을 찾고 자기계발을 시도한다.	
자기의 의사소통 유형 교재 p.108	
자신의 의사소통 특성	의사소통을 위한 자기계발
느낌	

07 활동

효율적 의사소통

7-1. 공감
7-2. 반영
7-3. 직면

7-1 공감

<table>
<tr><th colspan="3">효율적 의사소통 : [공감] 사례보고서</th></tr>
<tr><td>상황</td><td colspan="2"></td></tr>
<tr><td>대상자 표현</td><td colspan="2">학생-[공감 적용]</td></tr>
<tr><td rowspan="5"></td><td>공감 1단계</td><td></td></tr>
<tr><td>공감 2단계</td><td></td></tr>
<tr><td>공감 3단계</td><td></td></tr>
<tr><td>공감 4단계</td><td></td></tr>
<tr><td>공감 5단계</td><td></td></tr>
<tr><td colspan="3">느낌</td></tr>
</table>

7-2 반영

<table>
<tr><th colspan="3">효율적 의사소통 : [반영] 사례보고서</th></tr>
<tr><td>상황</td><td colspan="2"></td></tr>
<tr><td colspan="2">비효율적 의사소통 상황</td><td>효율적 의사소통 상황–[반영 적용]</td></tr>
<tr><td>대상자 표현</td><td>학생 표현</td><td>분석하여 다시 적용하기</td></tr>
<tr><td></td><td></td><td>• 내용 반영

• 감정 반영

• 감정의 정도 반영</td></tr>
<tr><td colspan="2">비효율적 의사소통의 결과 :</td><td>반영 의사소통술을 사용한 결과 :</td></tr>
<tr><td colspan="3">느낌</td></tr>
</table>

7-3 직면

<table>
<tr><th colspan="3">효율적 의사소통 : [직면] 사례보고서</th></tr>
<tr><td>상황</td><td colspan="2"></td></tr>
<tr><td>대상자 표현</td><td colspan="2">학생-[직면 적용]</td></tr>
<tr><td rowspan="4"></td><td>비효과적인
문제행동에
초점두기</td><td></td></tr>
<tr><td>'나' 진술하기</td><td></td></tr>
<tr><td>부탁하기</td><td></td></tr>
<tr><td>격려하기</td><td></td></tr>
<tr><td colspan="3">느낌</td></tr>
</table>

08

활 동

중간 점검

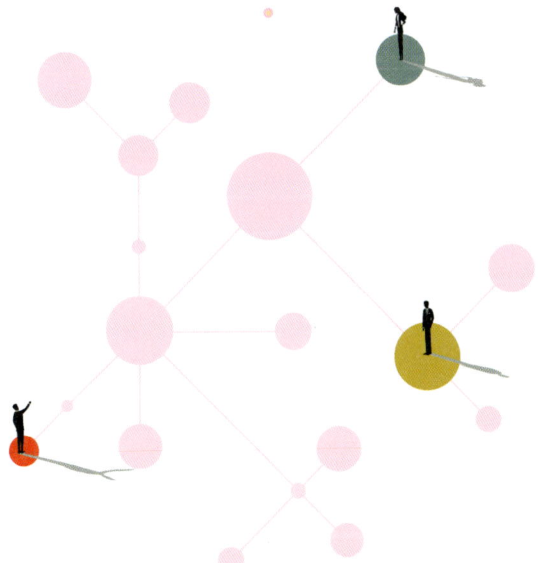

09 활동

비효율적 의사소통

9-1 일시적 안심

비효율적 의사소통 : [일시적 안심] 사례보고서

상황	

비효율적 의사소통술 : (일시적 안심시키기) 적용

경험(대화체로 작성)	경험 수정(대화체로 작성)

일시적 안심을 사용한 결과

경험을 수정한 느낌

9-2 비효율적 의사소통 사례

비효율적 의사소통술 분석사례 보고서		
오늘 하루 당신이 사용했던 비효율적 의사소통을 기술하시오.		
경험	사용한 비효율적 의사소통술	경험 수정(대화체로 작성)
사례 1)		
사례 2)		
사례 3)		
사례 4)		
사례 5)		
비효율적 의사소통술을 사용한 결과		
경험을 수정한 느낌		

Communication Skills for Healthy Relationships

10 활동

비폭력 대화

10-1 관찰 · 느낌 · 욕구 · 요청

비폭력 의사소통술 분석사례 보고서

오늘 하루 당신이 사용했던 비폭력적 의사소통을 기술하시오.

	경험	경험 수정(기린언어)
사례 1		• 관찰 • 느낌 • 욕구 • 요청
사례 2		• 관찰 • 느낌 • 욕구 • 요청

일상적인 의사소통을 했던 결과

기린언어로 경험을 수정한 느낌

11 활동

대상자별 의사소통

11-1 나 전달법

<table>
<tr><th colspan="4">나의 상황과 목표 적기</th></tr>
<tr><td>상황</td><td></td><td>목표</td><td></td></tr>
<tr><td colspan="4">나 메시지 적용하기</td></tr>
<tr><td colspan="2">1. 상대방의 행동</td><td colspan="2"></td></tr>
<tr><td colspan="2">2. 자신에게 미친 영향</td><td colspan="2"></td></tr>
<tr><td colspan="2">3. 그 결과 나의 느낌</td><td colspan="2"></td></tr>
<tr><td colspan="4">나-전달법 완성하기(1~3을 연결하여 완성하세요)</td></tr>
<tr><td colspan="4"></td></tr>
<tr><td colspan="4">나-전달법 느낀점</td></tr>
<tr><td colspan="4"></td></tr>
</table>

11-2 이성과의 대화

<table>
<tr><th colspan="2">이성 친구와의 대화의 차이 분석 보고서</th></tr>
<tr><td>상황</td><td></td></tr>
<tr><td colspan="2">이성(여성 또는 남성) 친구와의 대화에서 성별 특성상 어려움</td></tr>
<tr><td>갈등 경험</td><td>경험 수정</td></tr>
<tr><td></td><td></td></tr>
<tr><td colspan="2">경험을 수정한 느낌</td></tr>
<tr><td colspan="2"></td></tr>
</table>

11-3 노인과의 대화

<table>
<tr><th colspan="2">노인과의 대화 분석 보고서</th></tr>
<tr><td>상황</td><td></td></tr>
<tr><td colspan="2">노인과의 대화에서의 어려움</td></tr>
<tr><td>갈등 경험</td><td>경험 수정</td></tr>
<tr><td></td><td></td></tr>
<tr><td colspan="2">경험을 수정한 느낌</td></tr>
<tr><td colspan="2"></td></tr>
</table>

12 활동

건강전문직 수행 시 의사소통

12-1. 불안(통증) 환자와의 의사소통

12-2. 말기환자와의 의사소통

12-1 불안(통증) 환자와의 의사소통

<table>
<tr><th colspan="2">대상자의 상황과 호소</th></tr>
<tr><td>상황</td><td></td></tr>
<tr><td rowspan="2">효율적인
의사소통
적용하기</td><td>의사소통 내용</td></tr>
<tr><td>• 대상자1 :
• 면담자1 :

• 대상자2 :
• 면담자2 :

• 대상자3 :
• 면담자3 :

• 대상자4 :
• 면담자4 :</td></tr>
<tr><td rowspan="2">적용후</td><td>생각 또는 느낀 점</td></tr>
<tr><td></td></tr>
</table>

◆ 불안 또는 통증 환자 중 선택하여 적용
◆ 대화 뒤 (　　) 안에 효율적 의사소통 기술 이름 작성(예: 침묵하기)
◆ 숫자는 대화 순서임

12-2 말기환자와의 의사소통

대상자의 상황과 호소	
상황	
효율적인 의사소통 적용하기	의사소통 내용
	• 대상자1 : • 면담자1 : • 대상자2 : • 면담자2 : • 대상자3 : • 면담자3 : • 대상자4 : • 면담자4 :
적용후	생각 또는 느낀 점

◆ 대화 뒤 (　　) 안에 효율적 의사소통 기술 이름 작성(예: 침묵하기)

13 활동

보고서 작성

13-1. 시나리오 작성 양식에 따라 보고서 작성

13-2. 효율적·비효율적 의사소통 사례 작성

13-1

시나리오 작성 양식에 따라 보고서 작성

13-2 효율적·비효율적 의사소통 사례 작성

Communication Skills for Healthy Relationships

14 활동

소감문 작성

14-1. 조별 발표 소견

14-1 조별 발표 소견

✐ 다른 조(팀)의 발표 내용에 대한 자신의 평가 및 소감을 쓰시오.

조(조 이름) / 주제	가장 좋았던 점	개선해야 할 점

다른 조 발표를 통해 느낀 점

15 활동

최종 점검 및 평가

15-1. 자기 성찰 및 의사소통 기말 소감

15-1 자기 성찰 및 의사소통 기말 소감

✐ 한 학기 자신의 의사소통 활동에 대한 성찰 및 소감문을 작성하시오.
(배운 내용을 알게 된 점, 생활에서 실천하게 되고 변화된 점, 그리고 과정을 겪으며 느낌 점을 함께 작성합니다.)

THIRD EDITION

건강한 인간관계를 위한

의사소통 기술 워크북

한국간호연구학회 편

Korean Society of Nursing Research

초판발행 2019년 5월 20일
2 판발행 2021년 2월 10일
3 판발행 2022년 7월 25일

저 자 양경희, 강서영, 김정호, 김한나, 박선정, 박순옥, 배영주, 오은정
이상화, 장효열, 전미경, 정기언, 정선아, 정춘화, 조영란, 현은희

발행인 이 웅 현
발행처 퍼시픽북스
서울특별시 중구 충무로 29 아시아미디어타워 501호
TEL. 02-2272-7766(代) / FAX. 02-2272-7166
www.papu.co.kr

ISBN 979-11-6375-361-2

Communication Skills for Healthy Relationships